Le sourire volé

DANS LA COLLECTION
MA PETITE VACHE A MAL AUX PATTES

1. *C'est parce que...*, de Louis Émond, illustré par Caroline Merola.
2. *Octave et la dent qui fausse*, de Carmen Marois, illustré par Dominique Jolin.
3. *La chèvre de monsieur Potvin*, de Angèle Delaunois, illustré par Philippe Germain, finaliste au Prix M. Christie 1998.
4. *Le bossu de l'île d'Orléans*, une adaptation de Cécile Gagnon, illustré par Bruno St-Aubin.
5. *Les patins d'Ariane*, de Marie-Andrée Boucher Mativat, illustré par Anne Villeneuve.
6. *Le champion du lundi*, écrit et illustré par Danielle Simard.
7. *À l'éco...l...e de monsieur Bardin*, de Pierre Filion, illustré par Stéphane Poulin.
8. *Rouge Timide*, un roman écrit et illustré par Gilles Tibo, Prix M. Christie 1999.
9. *Fantôme d'un soir*, de Henriette Major, illustré par Philippe Germain.
10. *Ça roule avec Charlotte*, de Dominique Giroux, illustré par Bruno St-Aubin.
11. *Les yeux noirs*, de Gilles Tibo, illustré par Jean Bernèche.
12. *Les mystérieuses créatures* (ce titre est retiré du catalogue).
13. *L'Arbre de Joie*, de Alain M. Bergeron, illustré par Dominique Jolin.
14. *Le retour de monsieur Bardin*, de Pierre Filion, illustré par Stéphane Poulin.
15. *Rodolphe et le sourire volé*, de Gilles Tibo, illustré par Jean Bernèche.

Une aventure de
Rodolphe le détective

Le sourire volé

un roman écrit par Gilles Tibo

illustré par Jean Bernèche

case postale 36563 — 598, rue Victoria,
Saint-Lambert, Québec J4P 3S8

Soulières éditeur remercie le Conseil des Arts du Canada et la SODEC de l'aide accordée à son programme de publication.

Dépôt légal: 1999
Bibliothèque nationale du Canada
Bibliothèque nationale du Québec

Données de catalogage avant publication (Canada)

Tibo, Gilles

Le sourire volé
(Collection Ma petite vache a mal aux pattes; 15)
Pour les jeunes de 6 à 9 ans.

ISBN 2-922225-34-8

I. Bernèche, 1950- . II. Titre III. Collection.

PS8589.126 R62 1999 jC843'.54 C99-941130-6
PS9587.126 R62 1999

PZ23.T52 Ro 1999

Conception graphique de la couverture:
Gilles Tibo
Annie Pencrec'h

Logo de la collection:
Caroline Merola

ISBN-2-922225-34-8

58615

À mon frère Pierre
et à Johanne
qui ont toujours su
garder le sourire
J.B.

Du même auteur
(principaux ouvrages)

Chez Soulières éditeur
Dans la collection Ma petite vache a mal aux pattes
Rouge Timide, Prix M. Christie 1999
Les yeux noirs

Aux Éditions Québec/Amérique
Dans la série Noémie
Le secret de madame Lumbago, Prix du Gouverneur général (pour le texte) 1996
L'incroyable journée
La clé de l'énigme
Les sept vérités
Albert aux grandes oreilles
Le château de glace

Dans la série Le petit géant
Les cauchemars du petit géant
L'hiver du petit géant
Les voyages du petit géant

Chez Toundra-Livres
Dans la série Simon :
Simon et les flocons de neige, Prix Hibou 1989
Simon et le vent d'automne, *Simon fête le printemps*, *Simon et le soleil d'été*, *Simon et la ville de carton*, Prix du Gouverneur général (pour les illustrations) 1992, *Simon au clair de lune*, *Simon et la plume perdue*, *Simon et la musique*, *Simon et la chasse aux trésors*, *Simon et le petit cirque*, *Simon et les déguisements*.

Aux Éditions Dominique et compagnie
Choupette et son petit papa
Choupette et maman Lili
Choupette et tante Loulou

Aujourd'hui, comme d'habitude, le célèbre détective, Monsieur Rodolphe, feuillette le journal du matin. Il consulte la rubrique concernant les vols de banques, les vols de tirelires et les vols d'oiseaux.

Soudain, à neuf heures précises, on cogne à la porte de son bureau : TOC ! TOC ! TOC ! Rodolphe sursaute. Il ouvre son agenda, vérifie l'heure et la date. Aucun rendez-vous n'est prévu ce matin.

En ouvrant la porte, Rodolphe aperçoit un clown qui lui dit :

— Excusez-moi, snif… Je voudrais voir monsieur Rodolphe, snif… le célèbre détective, snif…

— C'est moi, répond Rodolphe. Que puis-je faire pour vous ?

— ... Snif. Je m'appelle Clodo le clown... Quelqu'un a volé mon sourire ! Vous êtes mon dernier espoir !

— Je suis l'homme qu'il vous faut, répond Rodolphe. J'ai déjà retrouvé une aiguille dans une botte de foin, retrouvé mon chemin, retrouvé la mémoire...

— Racontez moi tout, de A jusqu'à Z.

— Voilà, snif... je dormais profondément. À trois heures du matin, un bruit étrange m'a réveillé. J'ai vu l'ombre d'un voleur sortir par la fenêtre de ma chambre. Il s'enfuyait avec mon sourire.

— Hum… Pouvez-vous me décrire cette ombre ?

— C'était une ombre de voleur, comme celles que l'on voit à la télévision et dans les films. Elle était silencieuse et elle courait à vive allure.

— Bon... et à quoi ressemblait votre sourire ? demande Rodolphe en feuilletant le *Grand livre des sourires.* Ressemblait-il à celui-ci, à celui-là ? Était-il rose, rouge, orange, recourbé comme ceci, comme cela ? Riait-il un peu, beaucoup, passionnément ?

Après avoir regardé, vérifié, comparé six cent soixante-six sourires différents, Clodo s'écrie :

— Voilà, je reconnais mon sourire. Il était exactement comme celui-ci !

— Le voleur vous a-t-il volé autre chose ?

— Non. J'avais encore mon gros nez, mes oreilles, mes yeux, mon pyjama et mes pantoufles de clown.

— Bon... Allons visiter les lieux du crime, s'exclame Rodolphe !

Quelques minutes plus tard, Rodolphe se retrouve chez Clodo. Le célèbre détective cherche des empreintes, des signes, des marques. Il regarde sous les chaises, sous le lit, sous les draps, sous les tapis, mais il ne trouve rien.

Rodolphe cherche des indices dans la cour, dans l'escalier, sur le toit, dans la ruelle, mais il ne trouve rien.

Il interroge les voisins du haut, les voisins du bas. Personne n'a vu le voleur de sourire. Il a disparu comme par magie.

De retour à son bureau, Rodolphe soupire :

— Hum... Humm... Hummm... Dans un pareil cas, il faut demander l'aide du public... Que donnerez-vous pour récompenser celui ou celle qui trouvera votre sourire ?

Clodo fouille dans ses poches. Il en sort toute sa fortune.

— Bon, soupire Rodolphe. Je prépare une affiche sur mon ordinateur : *SOURIRE PERDU ! RÉCOMPENSE : UN BOUTON À QUATRE TROUS, UN BOUT DE FICELLE ET UNE FLEUR EN PAPIER.*

TCHLAK ! TCHLAK ! TCHLAK ! En six cent soixante-six secondes, six cent soixante-six affiches sont imprimées.

— Venez avec moi, dit le célèbre détective. Vous allez m'aider !

Ensemble, Clodo et Rodolphe posent les affiches. Clodo grimpe sur les poteaux électriques et sur les galeries. Rodolphe, de son côté, les colle sur les murs de bois, de ciment, de briques. Il en place aussi sur les babillards, sur les trottoirs et même en plein milieu de la rue…

Ils épinglent les affiches sur les cordes à linge, sur les chiens, sur les chats, bref sur tout ce qu'ils voient... En quelques heures, la ville est couverte d'affiches.

— Vite, dit Rodolphe, il faut retourner au bureau. Il n'y a pas une seconde à perdre.

En effet, les réactions ne tardent pas à venir. À peine rentrés au bureau, le téléphone ne cesse de sonner : on a trouvé des dentiers de clown, des tubes de rouge à lèvres de clown, des oreilles de clown, mais personne n'a trouvé un sourire de clown.

Après deux jours d'attente Rodolphe ouvre un gros livre intitulé *Changement de stratégie pour retrouver un sourire volé.* À la page six cent soixante-six, il trouve la solution à son problème. Il fait paraître des annonces dans les journaux, à la télévision, et même au cinéma.

Maintenant, la sonnerie du téléphone résonne nuit et jour. On a trouvé des orteils de clown, des souliers de clown, des fesses de clown, des cheveux de clown, des boutons de clown, des vélos de clown, des parents de clown, des bébés de clown…

Rodolphe et Clodo reçoivent des boîtes pleines de sourires de toutes les grosseurs et de toutes les couleurs. Clodo les essaie tous. Malheureusement, ils sont, ou trop larges, ou trop petits, ou trop ceci, ou pas assez cela… Clodo est découragé.

Rodolphe passe de longues heures à réfléchir. Il fait six cent soixante-six fois le tour de son bureau... Il interroge d'autres détectives... Il lit et relit son horoscope... Il consulte son livre préféré :

La psychologie d'un voleur de sourire.

À la page six cent soixante-six, Rodolphe lit : *«Le voleur est souvent quelqu'un qui travaille près de la victime et qui profite de son malheur.»*

Le détective sort une grosse loupe de son coffre-fort :

— J'ai une idée ! dit-il. Suivez-moi !

Rodolphe et Clodo se rendent au cirque. Ils pénètrent sous le grand chapiteau. Clodo éclate en sanglots.

— Voilà, snif... c'est ici, snif... que je faisais rire, chaque soir, plus de six cent soixante-six enfants !

Rodolphe fronce les sourcils. Puis il ferme un œil, se penche et scrute les lieux avec sa grosse loupe. Il fait le tour de la piste, cherche des indices, des traces, quelque chose, n'importe quoi qui pourrait faire avancer l'enquête. Rien. Il ne trouve rien.

Rodolphe fait le tour des estrades. Il ne trouve que de vieux sacs de croustilles, des emballages de tablettes de chocolat, des restants de gommes à mâcher, de vieux souliers abandonnés, de vieilles chaussettes reprisées, mais rien, rien pour faire avancer l'enquête.

Puis, Rodolphe fouille dans les six cent soixante-six poubelles du cirque. Il ne trouve que de vieilles quilles brisées, que de vieux cerceaux démantibulés, que de vieux habits déchirés, que de vieilleries impossibles à identifier... Mais rien, rien pour faire avancer l'enquête.

Alors, Rodolphe fronce les sourcils, serre les poings et consulte la liste de tous les employés du cirque. Il décide de les interroger un par un, du premier au dernier, jusqu'à ce qu'il trouve le coupable.

Le célèbre détective commence son interrogatoire par la personne qui, habituellement, voit tout et connaît tout : le concierge.

Insatisfait des réponses obtenues, Rodolphe fouille partout, jusque dans la chaudière du concierge. Il n'y trouve que de l'eau savonneuse.

Ensuite, Rodolphe interroge le jongleur. Il lui pose des questions indiscrètes, lui demande de dévoiler ses secrets les plus intimes. Rodolphe fouille dans la loge du jongleur, fouille à l'intérieur de ses balles, de ses quilles, de ses cerceaux. Il n'y trouve aucun trucage.

Puis, Rodolphe interroge le dompteur de lions. Il lui demande de raconter sa vie, ses peines, ses joies. Rodolphe, de plus en plus impatient, fouille dans les coffres du dompteur, dans les cages et même jusque dans la gueule des lions, où il ne trouve que de vieux cure-dents.

Rodolphe interroge, les trapézistes, les cracheurs de feu, les funambules ainsi que tous les employés du cirque. Rien !

Complètement découragé, Rodolphe interroge Le Grand Roberto. Il fouille dans son chapeau de magicien, et en sort un lapin blanc...

Soudain, un grand rire retentit ! Clodo s'écrie :

— C'est mon rire ! J'entends mon rire !

À la vitesse de l'éclair, Rodolphe plonge sa main au fond du grand chapeau. Il retire délicatement le sourire du clown.

Profitant de la cohue, Le Grand Roberto tente de s'enfuir en courant. Clodo crie :

— Au secours ! Au voleur ! Au brigand ! À l'assassin !

Clodo se lance à la poursuite du voleur en faisant des pirouettes, des culbutes, des galipettes.

Rodolphe fonce de l'autre côté de la piste. Il arrive face à face avec le fuyard. BANG ! Le magicien beaucoup plus grand que Rodolphe, culbute et retombe sur le sol en rebondissant comme une balle. Bong, bong et rebong !

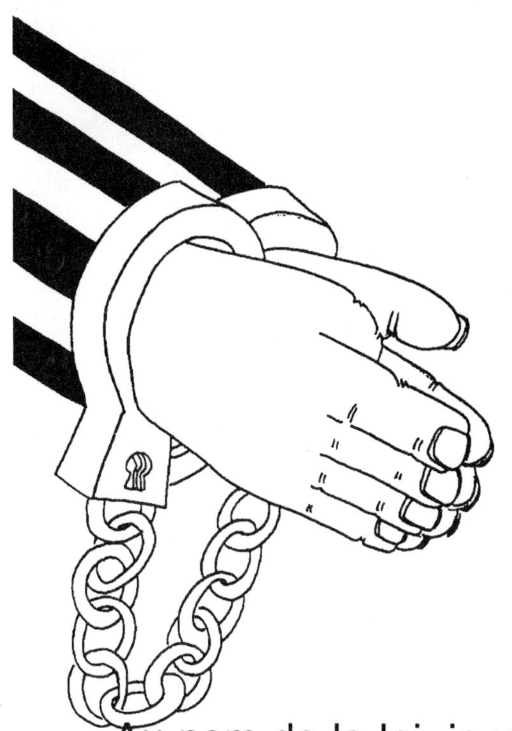

— Au nom de la loi, je vous arrête ! dit Rodolphe.

Puis, d'un geste gracieux, il passe les menottes aux poignets du Grand Roberto qui se met à pleurnicher :

— J'étais jaloux de Clodo. Tous les enfants l'aimaient… snif… je n'en pouvais plus…

Après avoir avoué son crime, Le Grand Roberto est condamné à passer six cent soixante-six jours en prison.

On lui a confisqué sa baguette magique. Il passe de longues heures à tourner en rond dans sa cellule. Il s'ennuie beaucoup. Il pleure quelquefois.

Tout est bien qui finit bien. Pour Rodolphe, «L'AFFAIRE DU SOURIRE VOLÉ» est une affaire classée.

De son côté, Clodo est heureux d'avoir retrouvé son sourire. Il donne son spectacle, tous les jours, devant six cent soixante-six enfants...

Chaque soir, après les derniers applaudissements, Clodo qui est un clown au grand cœur, rend visite au magicien. Il lui fait ses meilleures pitreries. Il lui prête ses boutons à quatre trous, son bout de ficelle et sa fleur de papier. Mais le magicien est tellement triste qu'il est incapable de rire.

Alors, quelquefois, mais seulement pour six cent soixante-six secondes, Clodo lui prête son joli sourire !

Gilles Tibo

C'est en prenant sa douche, à sept heures trente sept, un 27 avril, que Gilles a eu l'idée de faire revivre le personnage Rodolphe. En effet, quoi de mieux qu'un détective pour nous entraîner dans les aventures les plus folles, les plus abracadabrantes et aussi les plus poétiques.

Jean Bernèche

Jean Bernèche a créé Rodolphe il y a plus de vingt ans. Ce personnage a vécu plusieurs années entre les cadres d'une bande dessinée publiée dans un quotidien. Le voici maintenant dans sa nouvelle maison de papier. Curieusement, ni Jean ni Rodolphe n'ont vieilli d'une ride. Les deux compères se portent à merveille. C'est toujours avec beaucoup d'humour et de sensibilité que Jean donne vie à son joyeux personnage.

Achevé d'imprimer à Longueuil,
sur les presses de
Marie-Josée et Nathalie Veilleux,
en août 1999